HOUSTON PUBLIC LIBRARY

W9-COO-627

Friends of the
Houston Public Library

Ilan Brenman

Ilustraciones
Ionit Zilberman

El libro SECRETO de las princesas que también se tiran pedos

algar
editorial

Reservados todos los derechos.

Cualquier forma de reproducción, distribución, comunicación pública o transformación de esta obra solo puede ser realizada con la autorización de sus titulares, salvo excepción prevista por la ley. Diríjase a CEDRO (Centro Español de Derechos Reprográficos) si necesita fotocopiar o escanear algún fragmento de esta obra (www.conlicencia.com; 917 021 970 / 932 720 447).

Licencia editorial por cesión de Edicions Bromera, SL (www.bromera.com).

Título original: *O livro secreto das princesas que soltam pum*
© Ilan Brenman, 2015
© Ilustraciones: Ionit Zilberman, 2015
   Primera edición de Brinque-Book, 2015
   Publicado por acuerdo con Seibel Publishing Services
   Traducción: Algar Editorial
© Algar Editorial, SL
   Apartado de correos, 225 - 46600 Alzira
   www.algareditorial.com
Impresión: Liberdúplex

1.ª edición: febrero, 2017
2ª edición: marzo, 2017
ISBN: 978-84-9142-053-8
DL: V-3200-2016

Para Tali,
mi gran amor
I. B.

Para Oli
I. Z.

Muchas cosas en el mundo crecen: uñas, pelos, pies, brazos... Laura también ha crecido.

Y cuando crecemos, muchas veces nos olvidamos de cosas que sucedieron en el pasado.

Una tarde, después del colegio, Laura llegó a casa, tiró la mochila en su habitación, se lavó las manos y se zampó la supermerienda que le había preparado Valeria.

Con la barriga llena, se fue a su lugar preferido, la biblioteca de su padre, para hacer la digestión. Se acomodó en el mejor sillón del mundo y empezó a observar aquella multitud de historias. Antes de hacer los deberes, siempre leía un rato.

Laura se levantó y empezó a pasar los dedos por el lomo de los libros, cuando, de repente, una motita de polvo cayó sobre la punta de su nariz. Juntó los ojos intentando observarla y, de un soplido, la hizo volver a subir.

Entonces, la niña vio más motitas que caían como la nieve desde lo más alto de la estantería de la biblioteca. Todas salían del mismo lugar: un libro gordo y marrón.

Curiosa como nadie, Laura agarró una escalera pequeña de la cocina, la acercó a la estantería e inició la escalada. Cuando la niña tomó el libro de donde salían las motitas de polvo y leyó la cubierta... ¡casi se cae del susto!

Parecía que una avalancha de recuerdos había invadido su cabeza, el mundo giraba, rodaba a su alrededor. Respiró hondo, bajó de la escalera con calma, se repantigó en el sillón, abrió bien los ojos y leyó:

El libro
secreto de las
princesas

¡Cómo podía haberlo olvidado! «Crecer hace olvidar algunas cosas a la gente», pensó. Allí estaban las princesas más bonitas del mundo y sus secretos.

Laura abrió el libro y, al instante, vio un capítulo que le dibujó una sonrisa tan grande como la luna: «Problemas gastrointestinales y flatulencias de las princesas más encantadoras del mundo».

Se acordó de Marcelo, amigo del colegio; de Cenicienta, que comía barritas de chocolate de la despensa de la madrastra; de Blancanieves y la comida grasienta de los enanos, y de la Sirenita, que engañaba a todo el mundo cuando se tiraba un pedo en el agua.

Ahora que ya leía sola y muy bien, Laura se dio cuenta de que había otros muchos secretos que su padre no le había contado. Una gran emoción se adueñó de su corazón. Pasó el dedo por el índice del libro y empezó a leer los capítulos que no conocía.

Pero el que más llamó su atención fue este:

¿Por qué siempre hay villanos?

Un buen cuento de hadas necesita personajes malvados. Son ellos quienes dan la emoción que tanto nos gusta sentir al abrir y leer historias. Un cuento sin villano es como el arroz sin azafrán. Pero nadie se ha parado nunca a pensar que estos personajes malévolos, que tanto miedo nos dan, también fueron niños. Pensamos erróneamente que nacieron con una olla humeante bajo el brazo. A continuación, descubriréis el origen de la maldad de algunos de los villanos más famosos de las historias infantiles.

La bruja malvada del cuento 'Hänsel y Gretel'

Una de las malvadas más conocidas del mundo nació en Baviera, Alemania. Hija de unos famosos confiteros, vivía en la cocina de sus padres observando las obras de arte gastronómicas que elaboraban: *Apfelstrudel* (pastel de manzana), *Harlekin* (crema bávara de vainilla con frutas frescas), *Himbeertorte* (tarta de frambuesa), *Erdbeertorte* (tarta de fresa), etc. De tanto observar a sus padres trabajando, empezó a crear sus propios dulces. Su técnica fue perfeccionándose, y al cumplir los dieciocho años, se convirtió en la confitera más famosa de Alemania. Los reyes de toda Europa encargaban sus increíbles e inigualables dulces.

Una vez, recibió un pedido del rey de Java. Una comitiva de más de cien javaneses iría a recoger los dulces para su soberano. La joven confitera estaba casi acabando el último *Apfelstrudel* cuando sonó la campanilla de la tienda. Como los empleados estaban comiendo, fue ella misma a atender la puerta. Aprovechando ese momento, un pequeño insecto aterrizó en el borde de un *Apfelstrudel* y nunca más salió de allí.

Después de algún tiempo, llegó a la tienda una caja destinada a la confitera, era del rey de Java. Dentro había un botellín con estas palabras: «Gracias por los dulces». La joven lo destapó y notó un aroma increíble e irresistible, acercó los labios al envase y se bebió todo su contenido.

El efecto fue inmediato: la joven, que era realmente guapa, empezó a retorcerse de pies a cabeza, los dientes se le fueron apiñando, el pelo se le fue resecando, su nariz diminuta fue creciendo espantosamente, y en la punta le salió una verruga que parecía una montaña. Pelos, uñas, brazos, piernas, barriga... todo se transformaba de una forma terrible y asquerosa.

¡Se había convertido en una bruja! Al mirarse en el espejo, un grito retumbó por toda Baviera. ¿Qué había pasado? Bruja. Sí, ¡ahora era una bruja! Buscó la respuesta dentro de la caja del rey de Java, porque vio un sobre pequeño, casi imperceptible, al lado de donde estaba el botellín. La cartita decía: «Gracias por la mosca que me comí con el *Apfelstrudel*. Como agradecimiento, mi mago ha preparado un brebaje perfecto para usted, espero que le haya gustado. Atentamente, el rey de Java».

¡Qué mala suerte! No podía creer que una mosca se hubiera quedado enganchada en uno de sus dulces. Ahora ya no había vuelta atrás. La que había sido una joven y hermosa confitera lo abandonó todo y huyó por un bosque denso y aislado. Pero no olvidó su pasión por los dulces, ¡por eso construyó la casa de golosinas más famosa del mundo! Y su maldad fue creciendo junto con la verruga y la soledad.

El gigante de 'Juanito y las habichuelas mágicas'

Todos sabemos cómo acaba la historia de *Juanito y las habichuelas mágicas*, con el gigante que cae desde allí arriba y se espachurra contra el suelo, poniendo fin a un antiguo linaje de criaturas extraordinariamente enormes. Los antepasados del gigante se remontan a los famosos Gargantúa y Pantagruel. Igual que ellos, nuestro gigantesco personaje vivía en tierra firme y tenía una casa inmensa.

Su vida era normal. Claro que normal para él no es lo mismo que para los demás. Cuando era una criatura, se despertaba por la mañana y se bebía, directamente de varias vacas, mil litros de leche y se comía trescientas manzanas asadas con canela. Sus padres siempre lo bañaban en una pequeña ducha-cascada que medía treinta metros de altura. La colcha de la cuna estaba confeccionada con la lana de mil ovejas y su juguete favorito era un sonajero hecho con campanas de hierro de más de quinientos kilos cada una.

Cuando se convirtió en niño, es decir, cuando
creció todavía más, no cabía en el colegio y por eso
estudiaba en casa. A la hora de la comida, le tocaban doscientos
pollos asados, cien kilos de arroz y una ensalada con cien tomates. Corría
y saltaba por los alrededores de la casa, y a cada paso que daba el suelo
temblaba. A media tarde, dejaba lo que estuviera haciendo para zamparse
su merienda: un zumo de doscientas naranjas y cien pasteles de harina de
maíz. Por la noche, la cena era más ligera, apenas cincuenta bocadillos
de jamón y queso y treinta vasos de zumo de melocotón.

A medida que pasaba el tiempo, el gigante crecía y crecía, y la comida de la región desaparecía y desaparecía. El pueblo exigió al rey que desterrase a la familia de gigantes, y así lo hizo. Vagaron por muchas y muchas localidades, pero los expulsaban de todas porque no había bastante comida para un gigante en edad de crecimiento.

Un día, descubrieron a un hombre que vendía habichuelas mágicas y fue así como subieron al cielo y construyeron su inmenso castillo. Al llegar a la edad adulta, el gigante se convirtió en amo de todo, hasta que apareció Juanito. Pero aquel amo no olvidó nunca que el rey los había expulsado. Y aquel gran resentimiento hacia las personas cayó sobre el pequeño y valiente Juanito.

La bruja
de 'Rapunzel'

El salón de belleza Hilos de Oro era el local más apreciado por la nobleza alemana. Baronesas, marquesas, duquesas e incluso princesas formaban parte de la clientela de la pareja Schere y Kamm, los magos de las tijeras y los peines. Schere, la mujer, era especialista en cortar los cabellos más difíciles del mundo en un pispás. Con aquella habilidad, conseguía transformar cabellos en esculturas que parecían estar vivas. Su creación más famosa era el cabello-jardín: sobre la cabeza de una clienta lograba representar un jardín entero con flores, pájaros, animales terrestres e incluso lagos con gotitas de agua.

Kamm, el marido, era el maestro del peine y usaba su instrumento de trabajo igual que un habilidoso maestro de esgrima usa su florete. Utilizaba una técnica revolucionaria de peine con púas de acero calentadas sobre brasas de carbón. ¡Su alisado era único en el mundo! Las nobles suspiraban al verle trabajar.

La pareja tenía una hija que se llamaba Gothel, que era una niña hermosa y traviesa. Corría por el salón de belleza y levantaba el vestido a las clientas que estaban sentadas, inmóviles, dejándose peinar. Sus padres se peleaban con ella, pero poco, porque la niña siempre conseguía ablandarles el corazón. Aparte de eso, era tan hermosa y tenía una melena tan larga y sedosa, que admiraban a su hija por encima de todo y de todos.

Una mañana de domingo, Gothel hizo una de las suyas: entró con un amigo del colegio al salón de sus padres, que estaba cerrado. Allí dentro, empezó a mostrarle todas las herramientas de trabajo y a explicarle cómo funcionaban. Al niño, que era aún más travieso, le dio un arrebato y le pidió a Gothel que se sentara en una silla para cortarle el pelo. La niña se sentó, pero le advirtió que se trataba de un juego. El niño estuvo de acuerdo. Encendió el carbón y cogió el peine de púas de acero y las tijeras favoritas de Schere.

El niño hizo que Gothel se girara de espaldas al espejo y empezó a trabajar... Cortó, cortó y cortó. Después la peinó con las púas de acero y le achicharró el pelo. Cuando acabó el trabajo, Gothel se giró hacia el espejo. ¡El susto fue increíble! ¡El destrozo, horrible!

El niño huyó del salón, y Gothel, llena de tristeza y de rabia, también decidió escapar de allí para siempre. No habría soportado mostrar aquel desastre a sus padres. La niña se fue a vivir sola en el bosque. Creció deseando volver a tener una bonita melena larga y sedosa, pero las púas de acero le habían quemado el cuero cabelludo definitivamente.

Gothel quería vengarse. Se hizo mayor y no se quitaba a aquel niño de la cabeza. Cuando descubrió que iba a casarse, se fue corriendo a comprar una casita junto a la suya, donde empezó a plantar unos rábanos especiales. En el bosque, había aprendido los secretos de las brujas más poderosas de Alemania. Sabía que aquel que ahora era un hombre casado cometería alguna fechoría para robarle los rábanos. De hecho, cuando su mujer se quedó embarazada, se produjo el robo, así como las consecuencias que todos conocemos.

—¡Laura! ¡Laura!

La niña parecía haberse despertado de un sueño al oír que la llamaban. Cerró el libro, subió la escalera y lo colocó exactamente en el mismo sitio.

—Hija, ¿dónde estabas?

Laura acercó la escalera a un rincón de la biblioteca y salió. Allí estaba su madre, con cara de preocupada.

—Valeria me ha dicho que te has pasado la tarde entera en la biblioteca de papá.

La niña echó un vistazo al reloj y se sorprendió: ya casi era la hora de cenar.

—Mamá, no me había dado cuenta. Me he puesto a leer y me he olvidado de todo.

—Sé muy bien lo que es eso, hija. Pero ahora, vamos a comer algo.

Durante la cena, la madre le preguntó:

—¿Y qué es eso que leías que te ha hecho sentir que el tiempo se había parado?

Laura le mostró una gran sonrisa y empezó a narrar los maravillosos secretos del libro que acababa de leer.

ILAN BRENMAN ha escrito más de sesenta libros infantiles, algunos de los cuales han sido traducidos a varios idiomas: francés, italiano, sueco, danés, polaco, español, catalán, coreano y chino. Ha ganado varios premios literarios y su mayor éxito, *Las princesas también se tiran pedos*, ha sido adaptado al teatro en Brasil y cuenta con un musical en Barcelona. Desde 2011, Ilan escribe una columna mensual en la revista *Crescer*, y en 2014 estrenó dos boletines semanales en la radio CBN, en los que habla sobre literatura y educación. Más información: www.ilan.com.br.

IONIT ZILBERMAN nació en la ciudad de Tel-Aviv, en Israel, y vive en São Paulo desde pequeña. Formada en artes plásticas por la Fundación Armando Alvares Penteado (FAAP), ilustra libros infantiles desde 2006. Con la publicación de este título, ya son cuarenta los libros que ha ilustrado. Siente mucha satisfacción al presenciar de cerca el crecimiento y la transformación del personaje de Laura, al mismo tiempo que ve cómo su propio dibujo va cambiando. Las ilustraciones de este libro fueron realizadas con pintura acrílica y café sobre papel, la misma técnica usada en el libro *Las princesas también se tiran pedos*, publicado hace algunos años.

+SP
E BRENM

Brenman, Ilan,
El libro secreto de las
Floating Collection WLPICBK
01/18